少林武术精粹系列丛书

少林刀术（一）

德虔　德炎　编著

北京体育大学出版社

责任编辑：孙运娟
责任校对：潘海英
版式设计：李　鹤

图书在版编目（CIP）数据

少林刀术. 一 / 德虔, 德炎编著. -- 北京 : 北京体育大学出版社, 2022.1
（少林武术精粹系列丛书）
ISBN 978-7-5644-3590-5

Ⅰ. ①少… Ⅱ. ①德… ②德… Ⅲ. ①少林武术－刀术(武术)－套路(武术) Ⅳ. ①G852.22

中国版本图书馆CIP数据核字(2022)第007633号

少林刀术（一）
SHAOLIN DAOSHU(YI)　　　　德虔　德炎　编著

出版发行：北京体育大学出版社
地　　址：北京海淀区农大南路1号院2号楼2层办公B-212
邮　　编：100084
网　　址：http://cbs.bsu.edu.cn
发 行 部：010-62989320
邮 购 部：北京体育大学出版社读者服务部 010-62989432
印　　刷：北京昌联印刷有限公司
开　　本：880mm × 1230mm　1/32
成品尺寸：148mm × 210mm
印　　张：1.75
字　　数：35千字
版　　次：2022年1月第1版
印　　次：2022年1月第1次印刷
定　　价：10.00元

前 言

武术作为中国的国粹，是中华民族传统文化的组成部分。家喻户晓的少林武术便是其中极具代表性的门类，是中国武术的重要象征。

我社与少林武术结缘已久，伴随着时光的流逝，有多种内容、多样组合、各种形式的载有少林武术的出版物，源源不断地从我社注入市场，为方兴未艾的少林武术热潮平添了更高的热度。可以说，少林武术图书一直与我社相伴相随，成为我社具有长期出版价值的图书门类。其中，少林武术图书的编纂者——已故的王长青（法号释德虔）先生功不可没。他经年累月锲而不舍，寻于寺院、觅于乡间，挖掘出大量尘封的少林武术资料，继而分门别类梳理、整饬成一册册书稿，并与我社携手努力，打造出独树一帜的武术图书板块，为我社的武术图书出版打开了新局面。

今天，在着力弘扬中华优秀传统文化，树立和增强文化自信的大背景下，我社将以往出版的少林武术书籍重新进行了编排，以全新的面貌推出“少林武术精粹系列丛书”，这是我社多年来少林武术出版情结的延续，是对积累和沉淀的少林武术资源的再一次整合与展示，更紧密契合了时代的要求。

通过这套书，读者可以研习刚柔相济、闪转腾挪的少林功夫，可以感悟其中凝结的中华智慧，可以领略武术文化的博大精深……这便是我社对这套书出版价值的期待。

目　录

少林一路单刀

动作名称

预备势

1.云头飞

2.上步扶刀连头刀

3.转身马步扶刀

4.金刀头上飞

5.单叉刺刀

6.上步滚身莲花舞

7.弓步直刺

8.转身上步劈刀

9.双膀闭枪龙凤舞

10.猛虎转身刀出鞘

11.翻身连环刀

12.马步坐山

收　势

动作图解

预备势

两腿并拢，两脚成八字，屈臂屈肘，左手抱刀，右手握拳抱于腰侧，目视前方。（图1）

1.云头飞

左脚向左跨一步，身体左转90度，两腿成左弓步，左手持刀向左向上挽花，然后抱于腰间，同时右手随身向前推掌，推出掌后再变拳，拳心向下，目视右拳。（图2）

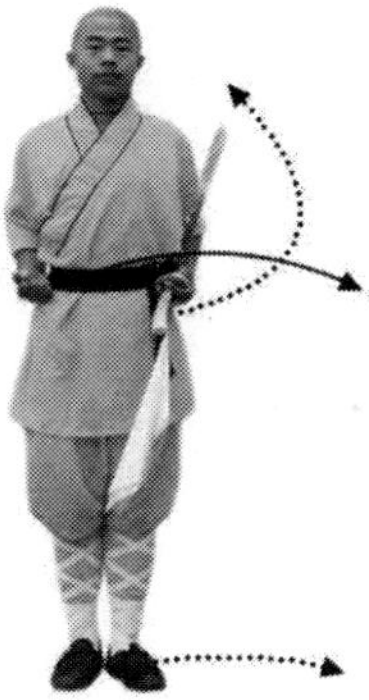
图 1

图 2

2.上步扶刀连头刀

右脚向前上一大步，两腿成右弓步，右手接刀，持刀向前劈，左手扶按刀背，目视前方。（图3）

3.转身马步扶刀

身体左转90度，成马步，右手持刀从身前向上举，左手扶按刀背（图4）；身体右转，左脚向前上步，成左弓步，刀由上向下斜劈，左手扶按刀背，目视前方（图5）。

图 3

图 4

图 5

4.金刀头上飞

右脚向前上一步，两腿成右弓步，右手持刀随身由右向左绕头旋一周后，向前劈刀（图6）；左脚向前上一步，两腿成左弓步，同时刀沿着身体左侧由前向上向左向右向前撩刀，左手扶按刀背，目视前方（图7）。

图 6

图 7

5.单叉刺刀

两脚腾空跳起，向右转体180度，两腿成左仆步，同时右手持刀，使刀背贴身从左侧绕向身后，并向左前方砍（图8）；起身，右手持刀从身体右侧绕向头上左侧，左掌护胸，然后向右跳步，同时转体180度，成马步（图9）；身体左转90度，上右脚成右弓步，右手持刀向前砍劈，左手扶按刀背（图10）；身体左转90度，两腿由弓步变成马步，右手持刀内旋，翻腕，刀刃向上，架于头上方，左手扶按刀背，目视刀尖（图11）。

图 8

图 9

图 10

图 11

6.上步滚身莲花舞

两脚向左腾空跳转180度，右手持刀随转体向左画弧，成马步架刀势，左掌立于右胸前（图12）；身体向左转，上右脚成叉步，右手持刀向右侧砍，左掌由胸前向外画弧后，再恢复原势，目视刀尖（图13）。

图 12

图 13

7.弓步直刺

左脚上步，右手持刀由身体后方架于头上，左掌向外画弧，右脚上步，右手持刀向前直刺，刀刃朝下，左掌由外向内画弧护于刀柄左侧，目视刀尖。（图14）

8.转身上步劈刀

右腿后退一步，身体右转180度，两脚向前跳一大步，两腿成左弓步，右手持刀屈臂内旋，随转体跳步，刀收到腰间再向前刺，左手随转体屈臂收至右手腕侧，转体后收至左腰侧，刀向前刺后，左臂屈肘，左手护于胸前，目视刀尖。（图15）

图 14

图 15

9.双膀闭枪龙凤舞

右脚向前上一步，两腿成右弓步，右手持刀内旋，刀尖向左向下向后画一平圆后，屈臂内旋，使刀背贴身从左侧绕向身后（图16）；再向前下方劈刀，后用左手接刀，成回头望月势，右手变拳架于头上前方，目视左前方（图17）。

图 16

图 17

10.猛虎转身刀出鞘

身体右转，左脚向前上一步，左手持刀藏于左臂下，右脚向左向右腾空摆脚，右拳变掌拍击右脚面（图18）；右脚落地，身体左转，左脚向右脚回收半步成丁字步，右手接刀上架于头上（图19）；起立，右脚后退一步，两腿踞地，身体右转180度，成右弓步，右手持刀向右云顶，刀绕头画弧一周，左脚向前上步，屈膝成左弓步，右手持刀向前下方劈，左手扶按刀背，目视刀尖（图20）。

11.翻身连环刀

身体右转180度，成右弓步，右手持刀向头上画弧后向前平刺，左手护于右上臂内侧，收左脚再上右脚成右弓步，右手持刀再向前穿，然后右脚向后退一步，左腿提膝向后抬，右手持刀竖立胸前，刀尖向上，目视前方。（图21）

图 18

图 19

图 20

图 21

12.马步坐山

左脚落地，向右转体，两腿成马步，同时左手接刀，抱刀于左膝上，右手变拳上架于头上前方，目视左侧。（图22）

图 22

收　势

收左脚，与右脚成并步，左手抱刀，身体挺直，目视前方。

少林青龙刀

动作名称

预备势

1.虎步亮掌

2.提膝蔽刀

3.跃步戳刀

4.转身拦刀

5.马步架刀

6.提膝后刺

7.摆脚藏刀

8.虚步背刀

9.弓步后劈

10.提膝架刀

11.虚步藏刀

12.上步拦刀

13.腾空崩刀

14.转身劈刀

15.弓步蔽刀

16.弓步刺刀

17.震脚截刀

18.弓步反刺

19.马步砍刀

20.仆步抱刀

21.提膝穿刀

22.虚步抱刀

23.跳步斩刀

24.虚步藏刀

25.转身背刀

26.提膝进刀

27.仆步劈刀

28.马步藏刀

29.弓步刺刀

30.高跳刺刀

31.腾空弹刀

32.弓步抱刀

33.转身点刀

34.弓步转刀

收　势

动作图解

预备势

分腿站立，略同肩宽，两脚成八字，两臂下垂，左手抱刀，刀刃向外，刀尖向上，右手成掌，附于大腿外侧，目视前方。（图1）

1.虎步亮掌

左脚向前上半步，右脚上于左脚前，脚跟离地，脚尖点地，两腿蹲成深虚步，同时左手持刀由下向外向上画弧，然后转腕，背刀于左臂后，刀尖向上，右臂屈肘，右掌向前推出，掌心向前，掌指向上，目视前方。（图2）

图 1　　图 2

2.提膝蔽刀

右脚向左上半步，左腿提膝，同时左臂向外展，然后屈肘举臂蔽刀，刀刃向上，刀尖向后，右掌变拳，抱于腰侧，拳心向上，目视前方。（图3）

3.跃步戳刀

左脚下落于左侧一步，抬右脚移于左脚侧前方，同时右手向左接刀，向外沉臂竖刀，刀刃向前，刀尖向上，左手向右扶于右手腕处，目视右刀（图4）；两脚向左前方跃一步，成左虚步，同时右手由右向下向左上方游刀，展臂沉腕截刀，刀刃向外，刀尖向下，左手向左侧展臂推掌，目视左手（图5）；然后，左脚踏实，右脚向前上一步，右腿屈膝，左腿蹬直，成右弓步，同时右手由后向前向左绕头云刀，再由后向前戳刀，刀刃向下，刀尖向前，左手上架于头前上方，上体向前倾探，目视刀尖（图6）。

图 3

图 4

图 5

图 6

4.转身拦刀

两脚蹍地，身体左转90度，两腿成马步，同时右手持刀由前反腕向内拦刀，左手随身向左画弧旋腕，然后展臂屈肘亮掌，目视右侧。（图7）

5.马步架刀

两脚跳起，向左转体180度，两腿成左弓步，同时右手随身向左绕头云刀，然后反腕举臂架刀，刀刃向后，刀尖向左，目视右方。（图8）

图 7

图 8

6.提膝后刺

两脚踾地，身体右转90度，提左膝成独立势，左手接刀绕头云旋一周，刺于左肩背后，刀刃向后，刀尖向下，右掌上架左侧，目视前方。（图9）

7.摆脚藏刀

左脚向前落一步，抬右脚向右外摆，同时右手接刀由后向前向左抄刀，刀尖向后，左手向前展臂吊掌，目视右侧。（图10）

图 9

图 10

8.虚步背刀

右脚向后落一步，两脚踾地，身体右转180度，左脚向前上一步，落于右脚前，两腿成左虚步，同时右手由后向前抄刀，然后随身向右绕头云旋，转身后反腕背刀于右腋下，刀尖向上，左手随身屈肘握拳，抱于腰间，目视前方。（图11）

9.弓步后劈

左脚跟落地，右脚向后退半步，两脚蹍地，身体右转180度，两腿成右弓步，同时右手由后向前抄刀，然后由前向后绕头云刀，再向后下方反劈，刀刃向下，刀尖向后，左手向前斜上推出，目视刀尖。（图12）

图 11

图 12

10.提膝架刀

两脚蹍地，身体左转90度，两腿成右弓步，同时右手由后向前绕头往前抡刀，然后展臂抖腕横刀，刀尖斜向左，左手随身向左摆掌，目视左手（图13）；然后左腿提膝，右手持刀横架于头上，左手架于头前斜上方，目视左前方（图14）。

图 13

图 14

11.虚步藏刀

左脚下落于右脚前半步，两腿半蹲成左虚步，同时右手由左向右劈刀，然后反腕沉刀，刀刃向后，刀尖向前下方，左手由外向前画弧，然后向前推出，掌心向前，目视左手。（图15）

12.上步拦刀

右脚向前上一步，两腿成右弓步，同时右手由后向前抄刀，然后由右向左向内拦刀，左手由下向上架于头左侧上方，目视前方。（图16）

图 15

图 16

13.腾空崩刀

两脚同时起跳，向右转体90度，当全身腾空时，左脚尽量向上弹踢，伸右臂向上崩刀，刀尖斜向上，左掌变拳，随身举臂崩拳，目视上方。（图17）

14.转身劈刀

两脚下落时，向右转体，落地后左脚在前，同时右手向下抄刀，然后向前劈刀，刀刃向外，刀尖斜向上，左手由上向外向下画弧，然后向前扶于右手腕部，目视前方。（图18）

图 17

图 18

15.弓步蔽刀

两脚蹍地，身体右转180度，抬左脚移于右脚前一步，成左弓步，同时右手持刀由前随身向下劈撩，形成弓步后右臂平展蔽刀，刀刃向上，刀尖向后，左手随身向前扶于右手腕部，目视两手。（图19）

16.弓步刺刀

右脚向前上一步，两腿成右弓步，同时右手持刀由右后方向前向后再返前抡一周，然后向前刺刀，刀刃向下，刀尖向前，左掌变拳，随身架于头上左侧，目视刀尖。（图20）

图 19

图 20

17.震脚截刀

左脚向前上一步，两脚踢地，身体右转90度，收右脚，震脚，与左脚成并步，两腿下蹲，同时右手持刀由前向后绕头抡一周，然后随身沉腕截刀，左拳变掌，随身扶于右手腕部，目视右侧。（图21）

18.弓步反刺

右脚向右跨一步，两脚踢地，身体右转90度，两腿成右弓步，同时右手持刀向前上方砍，然后向右后方反刺，刀刃向后，刀尖斜向下，左手随身向左前方展臂亮掌，目视刀尖。（图22）

图 21

图 22

19.马步砍刀

左脚向前上一步，两脚踮地，身体右转90度，两腿屈膝，成马步，同时右手由后向前抄刀，然后由左前方向右侧砍刀，刀刃向右，刀尖向上，左掌由外向内画弧，向左上方撩出，目视刀背。（图23）

20.仆步抱刀

两脚向左横向踮跳一步，左脚落于右脚左侧一步外，两腿成左仆步，同时右手由右向左摆刀，然后抱在胸前，刀身落于左臂上，左手扶握右手，目视左侧。（图24）

图 23

图 24

21.提膝穿刀

起身，左脚向内收半步，身体左转90度，成左弓步，右手由左向右摆刀，然后向左砍刀，刀刃向前，刀尖向上，左手由外向内画弧，向右抄手，目视前方（图25）；而后抬右脚向左提膝，同时右手由前向后绕头云刀，然后向左腋下穿刀，左掌变拳，向前展臂推出，目视左掌（图26）。

图 25

图 26

22.虚步抱刀

右脚向左，落于左脚外侧，左脚再向左移半步，成左虚步，同时右手由左向右抡刀，然后屈肘抱于胸前，刀尖向左，左掌由外向内护于刀柄外，目视左侧。（图27）

23.跳步斩刀

两脚向左侧跳一步，两腿下蹲，同时右手持刀由左上方向右绕头抡一周，然后向右下方斩，左手向左上方撩臂亮掌，目视刀尖。（图28）

图 27

图 28

24.虚步藏刀

两脚向前跳一步，两腿微蹲，成左虚步，同时右手由下向前抄刀，然后由前向后撩刀，展臂沉刀，刀刃向后，刀尖向前下方，左掌展肘推出，目视前方。（图29）

25.转身背刀

左脚踏实，两脚踝地，身体右转180度，抬左脚向前震脚，与

右脚成并步，同时右手持刀由右向左挽花，然后反腕背刀，刀刃向后，刀尖向上，左手随身向右于胸前亮掌，目视前方。（图30）

图 29

图 30

26.提膝进刀

左脚向前上一步，屈膝成左虚步，同时右手由后向下向右抄刀，反腕举臂后刺，刀刃向后，刀尖向下，左手向前下方甩掌，目视前方（图31）；然后两脚踉地，身体右转90度，抬左腿向右摆脚，同时右手持刀由后向上绕头往前抡劈，抖臂向右侧斜刺，左掌向右，举臂屈肘，架于头上左侧，目视右侧（图32）。

图 31

图 32

27.仆步劈刀

左脚下落于左侧距右脚一步处，两脚踝地，身体左转180度，抬右脚向前一步，左腿全蹲，右腿伸直，两腿成右仆步，同时右手持刀由右向左砍，然后由上向右下方劈，刀刃向下，刀尖向右，左掌向外向上架于头上左侧，目视右侧。（图33）

28.马步藏刀

两脚踝地，身体右转90度，右脚向左脚右侧退一步，两腿成马步，同时右手持刀由右向左挽花，向左后方反刺，左掌由外向内画弧，然后举臂上架于头上左侧，目视前方。（图34）

图 33

图 34

29.弓步刺刀

右脚向左脚前方上一步，两腿成右弓步，同时右手持刀由后向前再往右砍，然后向前直刺，刀刃向下，刀尖向前，左掌变拳，由上向后再向前画弧，然后向上架于头上左侧，目视刀尖。（图35）

30.高跳刺刀

两脚向前上方纵跳一步，落地成左弓步，同时右手持刀随身势由上向右下方刺，左拳变掌，由外往内画弧，举臂亮掌，目视刀尖。（图36）

图 35

图 36

31.腾空弹刀

收右脚，起身，两脚向前腾跳，身体左转，当全身腾空时，右手持刀向右前方弹刺，刀尖向前，左手随身向左展臂撩掌，目视刀尖。（图37）

32.弓步抱刀

两脚同时落地，左脚落于右脚前，向右转体，两腿成左弓步，同时右手随身向右下方撩刀，然后旋腕抱刀，刀刃向前，刀尖向上，左掌随身变拳，向前猛冲，目视左拳。（图38）

图 37

图 38

33.转身点刀

两脚踾地，身体右转90度，抬左脚向右后退一步，两腿成右弓步，同时右手持刀由右向左砍，然后向前下方点刀，左拳随身变掌，向后上方举臂亮掌，目视刀尖。（图39）

34.弓步转刀

左脚向左前方跨一步，两腿成左弓步，同时右手变把横刀左推，左手接握刀柄，刀与肩平，横架于右肩上方，刀尖向后，目视右侧。（图40）

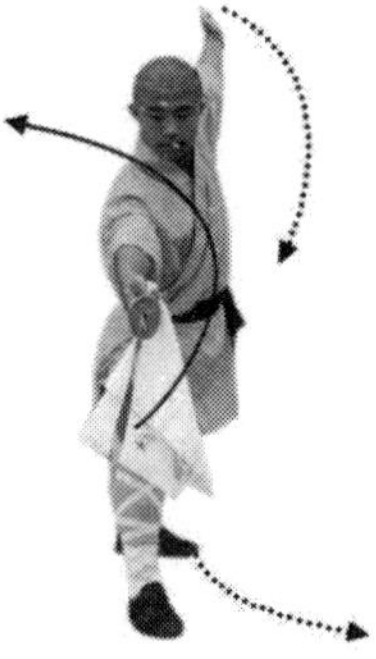

图 39

图 40

收 势

左脚与右脚并步直立，左手抱刀由右向上往左画弧，然后垂臂抱刀，刀尖向上，右手由左向右画弧，然后垂臂，握拳抱于腰间，目视左侧。（图41）

图 41

少林梅花刀

动作名称

预备势

1.转身刺刀

2.霸王观阵

3.震脚抖刀

4.夜叉过河

5.龙王排云

6.蝴蝶扑花

7.秦王带刀

8.侠客藏刀

9.饿虎扑食

10.白虎拦路

11.侠客藏刀

12.黑虎出洞

13.鸿雁展翅

14.龙王排云

15.鹞子翻身

16.金鸡独立

17.回头望月

18.蝴蝶扑花

19.天马行空

20.回头望月

21.龙王排云

22.白猴上树

23.顺风穿月

24.提膝截刀

25.老龙翘尾

26.侠客藏刀

27.老公开泉

28.白虎拦路

29.蝴蝶扑花

30.饿虎扑食

31.关公上天

32.怀抱琵琶

收　势

动作图解

预备势

两脚并步成八字，左手抱刀，刀刃向外，刀尖向上，右手下垂，挺胸抬头，目视前方。（图1）

1.转身刺刀

左脚向左跨一步，两脚踬地，身体左转90度，左腿屈膝，右腿蹬直，成左弓步，同时左手持刀向右撩，右手接握刀柄，左手放开刀柄，变掌护于右臂外侧，右手向左前方刺刀，刀刃向上，刀尖向前，目视刀尖。（图2）

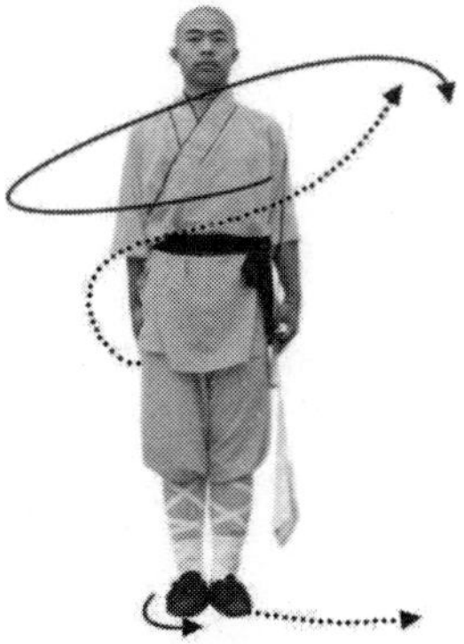

图 1

图 2

2.霸王观阵

右脚向右前方上步，两腿半蹲成马步，同时右手由前向外向后撩刀，左掌由胸前向外向上画弧，架于头上左侧，掌心向上，目视前方。（图3）

3.震脚抖刀

左脚向前上一步，抬右脚并于左脚，震脚，同时右手由后向前抄刀，然后身体向左转45度，左手扶于右手腕背，抖臂亮刀，刀刃向前，刀尖向上，目视前方。（图4）

图 3

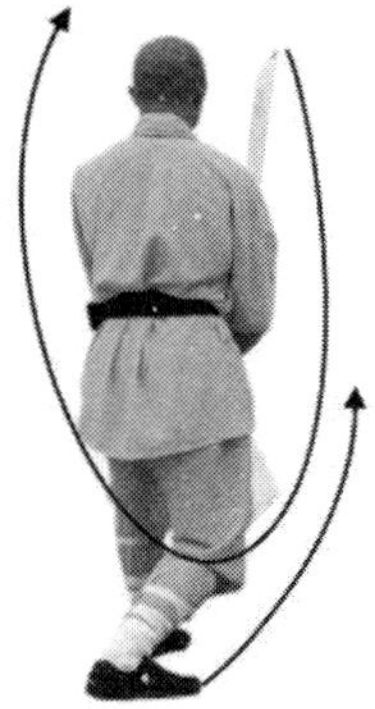

图 4

4.夜叉过河

两脚踝地，身体微右转，抬右脚向前弹踢，同时右手持刀由前向后撩，刀刃向外，刀尖向上，左手向左展臂亮掌，目视前方。（图5）

5.龙王排云

右脚下落于左脚前一步，左脚向前上一步，两脚踝地，身体右转90度，右腿屈膝，左腿蹬直，两腿成右弓步，同时右手持刀由后向前点，然后随身由左向右劈，再由右向上举臂架刀，刀刃向上，刀尖向左，右手随身向左展臂亮掌，目视左侧。（图6）

图 5

图 6

6.蝴蝶扑花

右脚不动，左脚移于右脚后外侧一步，两腿成叉步，同时右手持刀由左上方向右劈，然后两腿全蹲成歇步，再由右下方向上绕头往右下方劈刀，左手向左上方斜撩亮掌，目视刀尖。（图7）

7.秦王带刀

起身，左脚不动，右腿提膝，同时右手持刀向内翻腕举臂后刺，刀刃朝上，刀尖向左，左手由外向左下方斜撩，目视左侧。（图8）

8.侠客藏刀

右脚下落于左脚前一步，左脚再向前上一步，两脚踝地，身体右转90度，同时右手持刀由上向左再向右撩，然后向右后方藏刀，左掌随身向前下方猛按，掌心斜向下，目视前方。（图9）

图 7

图 8

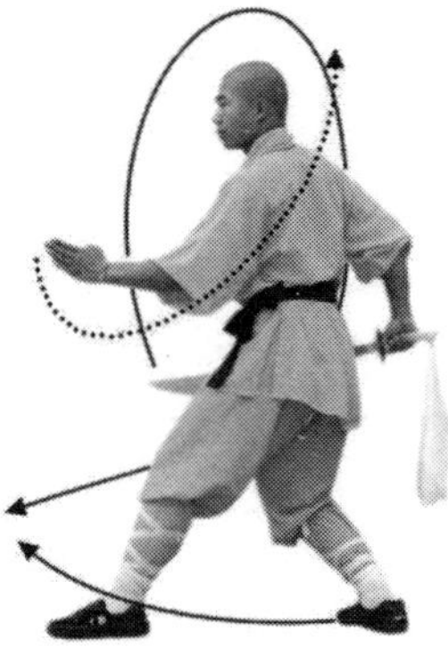

图 9

9.饿虎扑食

右脚向前踢，同时右手由后向前向外抡刀，再由后向前劈刀，刀刃朝下，刀尖向前，左手由前向外向上画弧，举臂架掌，目视刀尖（图10）；然后，右脚不落地，左脚向前跳步，右脚落于左脚前，两脚踝地，身体左转90度，两腿成马步，同时右手向右绕头往后抡刀，再向右侧纵劈，左手由上向前往左侧展臂摆掌，目视刀背（图11）。

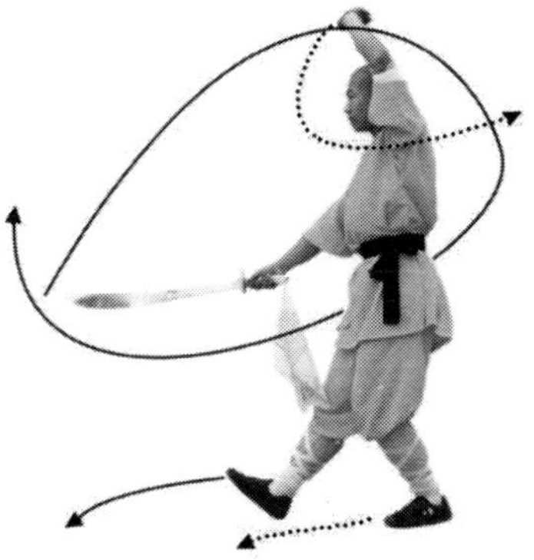

图 10

图 11

10.白虎拦路

两脚起跳，身体右转180度，两腿落成马步，同时右手随身绕头云刀，然后展臂亮刀，刀刃向前，刀尖向左，左手向外，展臂亮掌，目视右前方。（图12）

11.侠客藏刀

两脚踢地，身体右转90度，左脚向前上一步，右脚再向前上半步，两腿微蹲，同时右手持刀由左向右绕头抡劈，然后随身向后撩，左手随身向外推掌，目视前方。（图13）

12.黑虎出洞

左脚向前上一步，右脚向前上半步，震脚，与左脚成并步，两腿微蹲，同时右手由后向右前下方抄刀，左手由外向内画弧，然后向前护于右手腕部，协力上挑，目视刀尖。（图14）

13.鸿雁展翅

左脚不动，右脚向前上一步，两腿成右弓步，同时右手持刀由前向后撩，刀刃向下，刀尖向后，左手向前推出，掌心向前，目视左手。（图15）

图 12

图 13

图 14

图 15

14.龙王排云

左脚向前上一步，两脚踾地，身体右转90度，两腿成右弓步，同时右手由后向上绕头向前抡刀，然后由左向右举臂架刀，刀刃向上，刀尖向左，左手由外向内画弧，向左展臂推出，掌心向左，目

视左手。（图16）

15.鹞子翻身

两脚同时起跳，向左翻转180度，转体后两腿成马步，右手持刀由头上左侧随身向左翻身下劈，刀刃向右，刀尖向上，左手随身向左侧展臂扬掌，目视刀背。（图17）

图 16

图 17

16.金鸡独立

两脚踝地，身体左转90度，左腿向前提膝，同时右手逆向绞刀，然后由后向左绕头架刀，刀刃向上，刀尖向前，左手随身向内屈肘亮掌，目视前方。（图18）

17.回头望月

左脚向前落一步，两腿成左弓步，同时右手持刀由上向右返左抡一圈，然后由左向右后下方猛劈，刀刃向下，刀尖向后，左手向左展臂推出，掌心向左，目视刀尖。（图19）

图 18

图 19

18.蝴蝶扑花

右脚向前上一步，身体左转90度，两腿成马步，右手持刀下劈，再由后绕头向前下方劈，刀刃向前，刀尖向右上方，左手随身向左侧斜上方撩掌，目视刀背。（图20）

19.天马行空

两脚向右侧前上方纵跳，当全身腾空时，右手持刀顺抡，然后随全身腾跳向上举臂架刀，刀刃向上，刀尖向后，左手握拳，向外展臂撩打，目视右侧（图21）；身体右转180度，两脚落地成右弓步，右手由左向右绕头云刀一周，然后两臂同时向左右平展，右手随展臂向内横刀，使刀背紧贴于胸前，刀刃向外，刀尖向左，目视左后侧（图22）。

图 20

图 21

图 22

20.回头望月

左脚向前上一步，两脚踉地，身体右转90度，两腿成左弓步，同时右手持刀随身由右向后绕头往左云旋一周，然后反臂向左后方撩，左手随身向前举臂架掌，目视刀尖。（图23）

21.龙王排云

两脚向前踮跳一步，左脚落于右脚前，体稍向右移，两腿成左仆步，右手持刀由后向右绕头向左返前云旋一周，然后横架于头上，刀刃向上，刀尖向左，左手由上向前摆掌，目视左手。（图24）

图 23

图 24

22.白猴上树

两脚踝地，身体左转90度，抬左腿提膝，同时右手由前向后返右向前挑刀，刀刃斜向后，刀尖斜向前上方，左手向外向上画弧，然后向前扶托右手，目视前方。（图25）

23.顺风穿月

右脚向前踮跳一步，左脚落于右脚前，两腿成左弓步，同时右手由前向后游刀，然后由右向左伸臂穿刀，刀刃向外，刀尖向左，左手扶托右手腕助刀横刺，目视前方。（图26）

24.提膝截刀

抬右脚向前弹踢，右手由左向右前方舞刀，然后向右下方截刀，左手由左向右前方扶托右手腕助刀下截，目视右侧。（图27）

25.老龙翘尾

右脚下落于左脚前一步，左脚跟提起，同时右手由下向前上方

再向后撩刀，左掌随身向前斜上方推出，掌心向前，目视右后方。（图28）

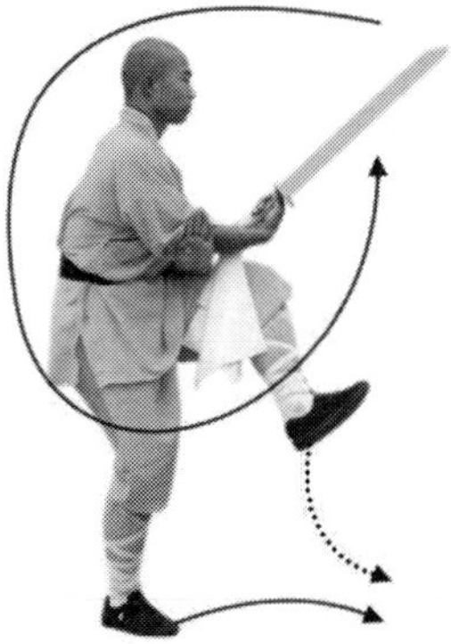

图 25

图 26

图 27

图 28

26.侠客藏刀

左脚向前上一步，两腿微蹲，成左虚步，同时右手由后经外向内旋臂沉腕垂刀，左手向内画弧，然后向左侧摆掌，目视左掌。（图29）

27.老公开泉

两脚踮地，身体右转90度，左脚向前上一步，身体再右转90

度，同时右手由右向左挽花，然后向右侧摆刀，左手随身向内，屈肘亮掌，目视左侧（图30）；两脚踾地，身体左转90度，右脚向前上一步，同时右手持刀由后向前绕头抡撩，然后推臂沉腕垂刀，刀刃向外，刀尖向下，目视前方（图31）。

图 29

图 30

图 31

28.白虎拦路

两脚同时前跳，落成马步，右手由前下方向后再向前绕头抡刀，然后向右展臂架刀，刀尖向左，左手向左斜展臂亮掌，目视前方。（图32）

29.蝴蝶扑花

右脚移于左脚前外侧，身体左转180度，两腿成叉步，然后两腿全蹲成歇步，同时右手持刀随身向上向右下方劈，刀刃向下，刀尖向右，左手随身向左侧斜上方摆掌，目视刀尖。（图33）

图 32

图 33

30.饿虎扑食

起身，两脚蹍地，身体右转90度，两脚向前跳一步，两腿成右弓步，右手持刀由右向左撩，然后随身向右前方劈，刀刃斜向下，刀尖斜向上，左手随身由外向内画弧，然后向左侧展臂摆掌，目视刀尖。（图34）

31.关公上天

两脚同时向前方纵跳，当全身腾空时，右手绕头云刀，左手向左撩掌，并上架于头上左侧，目视刀尖。（图35）

图 34

图 35

32.怀抱琵琶

接上动作，两脚落地后成马步，右手绕头向左摆刀，左臂屈肘，左手向右侧亮掌，目视左侧（图36）；然后两脚向左侧横跳一步，成右横弓步，同时右手由左向右云刀，左手接握刀柄，抱于怀中，目视左侧（图37）。

图 36

图 37

收　势

收左脚并右脚，同时左手握刀由右往左画弧，然后抱刀垂臂，刀刃向外，刀尖向上，右手由外向上往内画弧，然后自然下垂，附于大腿外侧，身体挺直，目视前方。